Este libro pertenece a

_____

Este es un libro Parragon Publishing
Primera edición en 2006
Parragon
Queen Street House
4 Queen Street
Bath, BA1 1HE, UK
ISBN 1-40548-095-5
Hecho en China

REY LEÓN

p

Todas las mañanas, cuando el sol se asoma por el horizonte, una roca gigantesca refleja los primeros rayos de luz. Es la Roca del Rey, el hogar de mi buen amigo el Rey Mufasa y su adorable esposa, la Reina Sarabi. Pero hubo una mañana que fue diferente, ya que animales de todas las Tierras del Reino llegaron hasta aquí para celebrar el nacimiento del cachorro de los reyes: Simba.

En la celebración fue mi tarea, como ritual de bienvenida, romper una calabaza y hacer una marca con su jugo sobre la frente de Simba. Luego alcé al futuro rey muy alto para que todos lo viesen. Llenos de alegría, los elefantes trompetearon , los monos saltaron sin cesar y las cebras golpearon el suelo con sus pezuñas.

Every morning, as the sun peeks over the horizon, a giant rock formation catches the first rays of light. This is Pride Rock, home to my good friend King Mufasa and his lovely wife, Queen Sarabi. On this particular morning, animals from all over the Pride Lands had journeyed to Pride Rock to honor the birth of their newborn cub, Simba.

As part of the celebration, I had a special duty. I cracked open a gourd, dipped my finger inside, and made a mark on Simba's forehead. Then I lifted the future king up high for all to see. The elephants trumpeted with their trunks, the monkeys jumped up and down, and the zebras stamped their hooves with happiness.

No muy lejos de allí, en una oscura cueva detrás de la Roca del Rey, un león huesudo con melenas negras gruñó. "La vida no es justa. Nunca seré Rey", se lamentaba. Era Skar, el hermano de Mufasa, que estaba furioso porque Simba sería el próximo Rey León.

Momentos después Mufasa apareció a la entrada de la cueva. "Ni Sarabi ni yo te vimos en la presentación de Simba", le dijo ofendido Mufasa.

Zazú, el fiel consejero del rey, agregó: "Tú deberías haber sido el primero en la fila".

"Yo era el primero en la fila hasta que esa bola de pelos nació." Y con estas palabras, Skar salió de la cueva.

Not far from the ceremony, in a cave at the back side of Pride Rock, a scraggly lion with a dark mane grumbled, "Life's not fair. I shall never be king." This was Mufasa's brother, Scar, who was jealous of Simba's position as the next king.

Moments later, Mufasa was at the doorway to the cave. "Sarabi and I didn't see you at the presentation of Simba."

Zazu, Mufasa's trusted advisor, also appeared. "You should have been first in line."

"I was first in line until the little hairball was born." And with that, Scar stalked out of the cave.

En poco tiempo Simba creció convirtiéndose en un cachorro fuerte y juguetón. Una mañana temprano, él y Mufasa treparon a la cima de la Roca del Rey. Mirando al sol naciente, Mufasa apuntó hacia los rayos de luz que se extendían sobre las Tierras del Reino. "Mira, Simba: todo lo que toca la luz es nuestro reino."

Observando el horizonte, a Simba le llamó la atención un punto oscuro en la distancia. "¿Qué es ese lugar sombrío?", preguntó.

"Eso está más allá de nuestras fronteras. No debes ir nunca allí, Simba", respondió muy serio Mufasa.

"Pero yo creía que un rey podía hacer todo lo que quisiera."

"Ser rey significa más que hacer lo que quieras siempre. Todo lo que ves convive en un equilibrio delicado. Un rey tiene que comprender ese equilibrio y respetar a todas las criaturas, desde las hormigas que se arrastran hasta los antílopes veloces. Todos estamos conectados en el Ciclo sin Fin."

Before long, Simba grew into a healthy, playful young cub. Early one morning, he and Mufasa climbed to the top of Pride Rock. As they looked out at the rising sun, Mufasa pointed to the light beams that stretched across the Pride Lands. "Look, Simba: Everything the light touches is our kingdom."

Simba scanned the horizon and noticed a dark spot in the distance. "What about that shadowy place?"

"That's beyond our borders. You must never go there, Simba."

"But I thought a king can do whatever he wants."

"There's more to being a king than getting your way all the time. Everything you see exists together in a delicate balance. As king you need to understand that balance, and respect all the creatures—from the crawling ant to the leaping antelope. We are all connected in the great Circle of Life."

Simba caminaba por un sendero meditando sobre lo que le había dicho su padre, cuando se encontró con Skar.

"Hola, tío Skar. ¿Sabes una cosa? Voy a ser el rey de estas tierras. ¡Mi papá me ha enseñado todo el reino! Y voy a gobernarlo todo." Los ojos de Skar brillaron con malicia. "Él no te mostró lo que hay más allá de esa elevación, en la frontera norte, ¿verdad?", le dijo al cachorro.

"Bueno, no. Me dijo que no puedo ir allí."

"Tiene toda la razón. Es demasiado peligroso. Solamente los leones más valientes van allá. Prométeme que nunca visitarás ese cementerio de elefantes", dijo Skar conociendo la curiosidad de su sobrino.

———

Later, as Simba headed back down the path, he ran into Scar. "Hey, Uncle Scar! Guess what? I'm gonna be King of Pride Rock. My dad just showed me the whole kingdom! And I'm gonna rule it all!"

Scar looked slyly at the young cub. "He didn't show you what's beyond that rise at the northern border?"

"Well, no. He said I can't go there."

"And he's absolutely right. It's far too dangerous. Only the bravest lions go there. Promise me you'll never visit that dreadful place."

Cuando Simba regresó a casa, encontró que su amiga Nala y su mamá estaban de visita. "¡Vamos! He oído hablar de un lugar estupendo", le dijo Simba a la cachorra.

Las mamás, pensando que se trataba de un simple paseo, los dejaron ir con la condición de que Zazú los acompañara. Simba y Nala corrieron a través de las Tierras del Reino tratando de despistar al pájaro vigilante. Pasaron rápidamente entre muchas manadas hasta que finalmente lo perdieron.

When Simba returned home, he found his friend Nala and her mother, Sarafina, visiting with Sarabi. "Come on! I just heard about this great place!"

The mothers gave permission for the youngsters to go, as long as Zazu went with them. Simba and Nala raced across the Pride Lands in an effort to lose the watchful bird. They led him through many herds of animals until they finally lost him.

Una vez que los cachorros se libraron de Zazú, Simba y Nala jugaron felices a rodar colina abajo. Cuando aterrizaron, vieron que estaban en un barranco oscuro salpicado de cráneos y huesos de elefantes.

Simba miró a su alrededor y exclamó, "¡Eso es! ¡Lo conseguimos!"

Antes de que los cachorros pudieran seguir explorando, Zazú los encontró. "Llegamos mucho más allá de la frontera de las Tierras del Reino. Y ahora mismo estamos todos en peligro."

Repentinamente, tres hienas se deslizaron a través de las vacías cuencas de los ojos del cráneo de un elefante. Asustados, Simba, Zazú y Nala saltaron hacia atrás. Eran Banzai, Shenzi y Ed, la hiena que reía constantemente.

Banzai dijo con malicia: "Un trío de intrusos."

Zazú trató de alejar a los cachorros del peligro, pero Banzai lo agarró por el cuello y lo derribó. Las hienas rodearon a su presa, lamiéndose el hocico.

"¿Por qué tanta prisa? Quédense a cenar", dijeron.

———————————

Once the cubs were free of Zazu, Simba pounced on Nala, then Nala flipped Simba onto his back. They tumbled down a hill and landed in a dark ravine littered with elephant skulls and bones.

Simba looked around and gasped. "This is it! We made it!"

Before the cubs could explore any further, Zazu tracked them down.

"We're way beyond the boundary of the Pride Lands. And right now we are all in very real danger."

Suddenly, three hyenas slithered out the eye sockets of an elephant skull. Frightened, Simba, Zazu, and Nala jumped back. It was Banzai, his partner Shenzi, and the always-laughing Ed.

Banzai sneered. "A trio of trespassers."

Zazu tried to lead the cubs to safety, but Banzai grabbed him by the neck and plopped him down. The hyenas circled their prey, licking their chops.

"What's the hurry? We'd love you to stick around for dinner."

Entonces las hienas comenzaron a pelear por sus presas, y Simba, Nala y Zazú aprovecharon el momento para alejarse en silencio. Pero las hienas no se distrajeron mucho tiempo. Los persiguieron y Simba y Nala tuvieron que correr tan deprisa como podían.

Finalmente se escondieron tras unos huesos de elefante. Cuando parecía que todo estaba perdido para los cachorros, Mufasa apareció sorpresivamente e hizo volar a las hienas de un zarpazo.

While the hyenas argued about who was going to eat whom, Simba, Nala, and Zazu quietly slipped away. But the hyenas weren't distracted for long. They gave chase, and Simba and Nala had to run fast as they could. Finally, they tried hiding behind some elephant bones.

Just when it looked as if it were all over for the young cubs, Mufasa appeared and sent the hyenas flying with a swipe of his big paw.

"Si se acercan a mi hijo otra vez ...", amenazó.

Aterradas por el poderoso león, las hienas se escabulleron. Mufasa se dirigió a Simba

"¡Me has desobedecido! Estoy muy defraudado!"

"If you ever come near my son again..."

The hyenas slinked away, and Mufasa glared at Simba.

"You deliberately disobeyed me! I'm very disappointed in you!"

Mufasa envió de regreso a Nala y a Zazú para poder hablar a solas con su hijo. Simba miró a su papá.

"Yo sólo trataba de ser valiente, como tú."

"Ser valiente no significa ir buscando el peligro."

"Papá, somos amigos, ¿verdad? Y siempre estaremos juntos, ¿verdad?"

Mufasa miró a las estrellas.

"Simba, te voy a decir algo que me dijo mi padre. Mira las estrellas. Los grandes reyes del pasado nos miran desde esas estrellas. Si alguna vez te sientes solo, recuerda que esos reyes siempre estarán allí para guiarte. Y yo también."

Mufasa sent Nala and Zazu home so he could talk privately to his son. Simba peered up at his father.

"I was just trying to be brave, like you."

"Being brave doesn't mean you go looking for trouble."

"Dad, we're pals, right? And we'll always be together, right?"

Mufasa looked up at the stars. "Simba, let me tell you something my father told me: Look at the stars. The great kings of the past look down on us from those stars. So whenever you feel alone, just remember that those kings will always be there to guide you. And so will I."

Mientras tanto, las hienas recibieron una visita: era Skar, y estaba muy enojado. "Les envío a esos cachorros prácticamente como regalo y ni siguiera pueden acabar con ellos", les dijo furioso. Y luego les advirtió que estuvieran preparadas.

Banzai se rió. "Sí, estén preparadas. ¡Estaremos preparadas! ¿Para qué?"

Skar la miró amenazante. "Para la muerte del rey."

Al día siguiente, invitó al cachorro al desfiladero. Cuando llegaron, Skar le dijo a Simba: "Ahora espera aquí. Tu papá tiene una sorpresa maravillosa para ti."

Skar se alejó y momentos después hizo una señal a las hienas para que persiguieran a un enorme rebaño de antílopes, provocando una estampida ¡que iba directamente hacia Simba!

Desde la distancia, Mufasa vio alarmado la nube de polvo. "¡Estampida! ¡En el desfiladero! Y Simba está allí", le avisó Skar.

Sin esperar un segundo, Mufasa corrió a salvar a su hijo.

Meanwhile, the hyenas received another visitor: an angry Scar showed up at their lair. "I practically gift-wrapped those cubs and you couldn't even dispose of them." Scar warned the hyenas to be prepared.

Banzai laughed. "Yeah! Be prepared. We'll be prepared! For what?"

Scar looked at him with danger in his eyes. "For the death of the King."

The following day, Scar invited Simba to join him in the gorge. When they arrived, Scar turned to his young nephew. "Now you wait here. Your father has a marvellous surprise for you."

Moments after he left, Scar signalled the hyenas, who chased a herd of wildebeests directly towards Simba.

From a distance, Mufasa noticed the rising dust. Scar appeared quickly at his side. "Stampede! In the gorge! Simba's down there!"

Without waiting a second, Mufasa took off to save his young son.

El Rey peleaba para abrirse camino a través de los animales. Cuando encontró a Simba, lo agarró por la piel del cuello y lo dejó sobre un saliente cercano, a salvo de la estampida. Pero Mufasa no tuvo tiempo de resguardarse.

Desesperadamente trató de subirse a otro saliente desde donde Skar lo miraba impasible. "Hermano, ¡ayúdame!", suplicó Mufasa.

Skar alcanzó a Mufasa, lo subió lo suficiente para susurrar en su oreja, "Viva el rey", y luego lo soltó dejando que cayera al vacío y fuera arrollado por las aterradas manadas. Simba miró sobre las rocas justo cuando su papá desaparecía bajo la estampida.

Mufasa plunged into the gorge and battled his way through the oncoming wildebeests. He found Simba, grabbed him by the nape of his neck, and put him on a nearby ledge. Suddenly Mufasa was knocked back into the stampede.

Desperately, he tried to climb up another ledge, from which Scar stood looking down on him. "Brother—help me!"

Scar reached for Mufasa and pulled him close enough to whisper to his ear. "Long live the King." Then Scar let go of Mufasa and he fell to his death.

Simba peered over the ridge just as his father disappeared beneath the stampede.

Poco más tarde, Skar encontró a Simba sollozando sobre el cuerpo inerte de su papá. "Fue un accidente. Yo no quería que sucediera esto."

"Pero el rey ha muerto. Y si no fuera por ti, aún estaría vivo. Ah, ¿qué pensará tu mamá?", dijo insidiosamente el malvado león.

Simba sollozó más fuerte. "¿Qué voy a hacer ahora?"

"¡Corre muy lejos, Simba! Escápate y no regreses nunca."

Simba hizo lo que le dijo Skar, sin saber que su tío había ordenado a las hienas que lo mataran. Skar regresó a la Roca del Rey a apoderarse del trono.

Later, Scar found Simba hovering over his father's body, sobbing. "It was an accident. I didn't mean for it to happen."

"But the King is dead. And if it weren't for you, he'd still be alive. Ah, what will your mother think?"

Simba sobbed harder. "What am I going to do?"

"Run away, Simba. Run! Run away and never return."

Simba did as he was told, unaware that his uncle's hyena friends had been ordered to finish him off. Scar returned to Pride Rock to take over the throne.

Haciendo caso a su tío, Simba caminó desolado y fatigado por la sabana, sin comida ni agua. No tardó en desmayarse bajo el ardiente sol.

Mientras los buitres volaban sobre el cachorro, un jabalí de buen corazón llamado Pumba y Timón, su compañero suricata, lo encontraron. "Es tan lindo y está solo. ¿Puede quedarse con nosotros?"

"Pumba, ¿estás loco? Los leones se comen a tipos como nosotros." Pero Pumba se enterneció al ver al pequeño Simba y lo alzó para llevarlo a un lugar seguro.

———————

Meanwhile, Simba plodded across the savannah without any food or water. It wasn't long before he fainted under the hot sun.

As the vultures circled overhead, a big-hearted warthog named Pumbaa stumbled upon the young lion. He turned to his trusty pal, a fast-talking meerkat named Timon. "He's so cute and all alone. Can we keep him?"

"Pumbaa, are you nuts? Lions eat guys like us." But Pumbaa scooped Simba up anyway, and carried him to safety.

Cuando Simba despertó, recordó enseguida lo sucedido con su padre y la angustia lo envolvió. Afortunadamente sus nuevos amigos intentaron levantarle el ánimo y le enseñaron a vivir Hakuna Matata: sin preocupaciones.

"Tienes que dejar atrás el pasado", le dijeron.

Y eso es exactamente lo que hizo Simba. Se quedó en la jungla con Pumba y con Timón y creció hasta convertirse en un león muy grande. Pero el tiempo no hizo que Simba olvidara su hogar. Una noche miró a las estrellas y recordó las palabras que le había dicho su papá cuando él era un cachorro. "Los grandes reyes del pasado nos miran desde esas estrellas. Si alguna vez te sientes solo, recuerda que esos reyes siempre estarán allí para guiarte. Y yo también.

"When Simba awoke, the first thought that sprang to his mind was his father's death. Timon taught him about Hakuna Matata, which means no responsibilities, no worries.

"You've got to put your past behind you."

And that is exactly what Simba did. He stayed in the jungle with Pumbaa and Timon a long, long time, and grew into a very big lion. But eventually he got homesick. One night he looked up at the stars and recalled the words his father had told him long ago. "The great kings of the past look down on us from those stars. So whenever you feel alone, just remember that those kings will always be there to guide you. And so will I."

Al día siguiente, una joven leona acechó y persiguió a Pumba. Simba corrió a rescatar a su amigo, pero al forcejear con la leona se dio cuenta de que era su vieja amiga.

"¿Nala, qué haces aquí?"

La leona se sorprendió al reconocerlo: "¡Estás vivo! ¿Por qué no regresaste a la Roca del Rey? ¡Tú eres el rey!"

"Yo no soy el rey. Skar lo es."

"Simba, él ha dejado que las hienas se apoderen de las Tierras del Reino."

"¿Qué?"

"No hay comida ni agua. Si no haces algo pronto, todos morirán de hambre. Eres nuestra única esperanza."

"No puedo regresar", dijo abatido Simba.

Luego, angustiado, Simba gritó a las estrellas. "Dijiste que siempre estarías conmigo, pero no estás aquí ¡y todo por mi culpa!"

The next day, Pumbaa was stalked and chased by a lioness. Simba came to his rescue, but after wrestling with the lioness, who easily flipped him onto his back, he realized that she was his old friend.

"Nala? What are you doing here?"

"Why didn't you come back to Pride Rock? You're the King!"

"I'm not the King. Scar is."

"Simba, he let the hyenas take over the Pride Lands."

"What?"

"There's no food, no water. If you don't do something soon, everyone will starve. You're our only hope."

"I can't go back."

Simba yelled at the heavens. "You said you'd always be there for me, but you're not—because of me."

Simba se sentía culpable e inseguro. No se creía capaz de desafiar a Skar y recuperar el trono. Así que permaneció en la jungla con sus amigos.

Pero yo sabía que había llegado el momento de que Simba recuperase su lugar en el Ciclo sin Fin, así que fui a buscar al león.

Cuando Simba me vio se sorprendió. "¿Quién eres?", preguntó.

"La cuestión es: ¿Quién eres tú?", le respondí.

"Creí que lo sabía. Ahora no estoy tan seguro."

"Yo sé quién eres. Eres el hijo de Mufasa. Él está vivo, te lo mostraré. Sigue al viejo Rafiki. Él conoce el camino.

"Simba didn't believe he could challenge Scar to the throne, so he stayed in the jungle with Nala and his new friends.

But I knew the time had come for Simba to take his place in the Circle of Life, and I headed for the jungle.

When Simba saw me, he was surprised. "Who are you?"

"The question is: Who are you?"

"I thought I knew. Now I'm not so sure."

"Well, I know who you are. You're Mufasa's boy. He's alive, and I'll show him to you. You follow old Rafiki. He knows the way."

Llevé a Simba a un estanque. Cuando miró al agua, vio a un fuerte león. "Ese no es mi papá. Es sólo mi reflejo."

"Mira atentamente... Ves, él vive en ti", lo animé. El espíritu de Mufasa apareció por arte de magia. "Mira a tu interior, Simba. Tú eres más de lo crees. Tú debes ocupar tu lugar en el Ciclo sin Fin."

Alentado por las palabras de su papá, Simba regresó a la Roca del Rey. Nala, Pumba y Timón lo acompañaron. Cuando Simba llegó, encontró la tierra desnuda y seca. Las hienas controlaban el arrasado territorio y Skar le estaba gritando a la mamá de Simba. Sarabi miró a Skar. "Tenemos que irnos de aquí."

"No vamos a ninguna parte. Soy el rey."

"Tú eres la mitad del rey que era Mufasa."

"¡YO SOY DIEZ VECES MEJOR REY QUE MUFASA!", gritó furioso Skar.

I led Simba to a reflecting pool. When he looked into the water, he saw a lion. "That's not my father. It's just my reflection."

"Look harder... You see, he lives in you."

The ghost of Mufasa magically appeared. "Look inside yourself, Simba. You are more than what you have become. You must take your place in the Circle of Life."

Encouraged by his father's words, Simba returned to Pride Rock. Nala, Pumbaa, and Timon followed. When Simba arrived, he found the land bare and dry. The hyenas were in control, and Scar was shouting at Simba's mother. Sarabi turned to Scar. "We must leave Pride Rock."

"We're not going anywhere. I am the king."

"You are half the king Mufasa was—"

"I AM TEN TIMES THE KING MUFASA WAS!"

Súbitamente un relámpago iluminó el borde de la Roca del Rey donde estaba Simba. Skar dio un salto.

"Simba … Me sorprende un poco verte … vivo."

"Dame una buena razón para que no te haga trizas."

Pero Skar guardaba una carta en la manga: forzó a Simba a admitir, frente a todas las leonas que él había causado la muerte de su papá.

Skar se burló, "Oh, Simba, estás en peligro de nuevo, pero esta vez papá no puede salvarte. Y ahora todos saben por qué.

———————————

"Suddenly, a flash of lightning revealed the edge of Pride Rock, and there stood Simba. Scar jumped back.

"Simba…I'm a little surprised to see you…alive."

"Give me one good reason why I shouldn't rip you apart."

But Scar forced Simba to say, in front of all the lions, that he had caused his father's death.

Scar smirked. "Oh Simba, you're in trouble again. But this time Daddy isn't here to save you. And now everybody knows why."

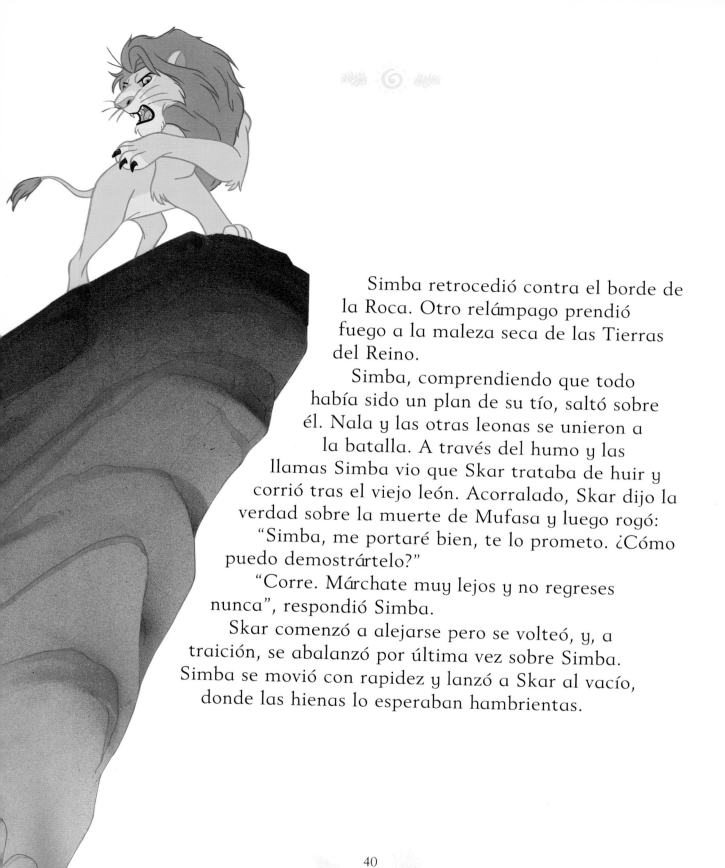

Simba retrocedió contra el borde de la Roca. Otro relámpago prendió fuego a la maleza seca de las Tierras del Reino.

Simba, comprendiendo que todo había sido un plan de su tío, saltó sobre él. Nala y las otras leonas se unieron a la batalla. A través del humo y las llamas Simba vio que Skar trataba de huir y corrió tras el viejo león. Acorralado, Skar dijo la verdad sobre la muerte de Mufasa y luego rogó:

"Simba, me portaré bien, te lo prometo. ¿Cómo puedo demostrártelo?"

"Corre. Márchate muy lejos y no regreses nunca", respondió Simba.

Skar comenzó a alejarse pero se volteó, y, a traición, se abalanzó por última vez sobre Simba. Simba se movió con rapidez y lanzó a Skar al vacío, donde las hienas lo esperaban hambrientas.

Simba backed up against the ledge. Lightning struck again, setting fire to the dry brush of the Pride Lands.

Simba, knowing the truth, leapt on Scar. Nala and the other lionesses joined the battle. Through the smoke and flames of the bushfire, Simba spotted Scar trying to escape and he ran after the old lion. Scar pleaded with his nephew.

"Simba, I'll make it up to you. I promise. How can I prove myself to you?"

"Run. Run away, Scar, and never return."

Scar started to slink off, but then he turned and lunged one last time at Simba. Simba moved quickly and flipped Scar over the ledge, where a pack of hyenas were waiting hungrily.

Herido y cansado, Simba subió hasta la cima de la Roca del Rey y contempló sus Tierras. Rugió y su poderosa voz resonó como un trueno. Un tiempo después, las Tierras del Reino prosperaron nuevamente.

Nala permaneció junto a Simba y pronto tuvieron una preciosa cachorrita. Felices, celebraron la bienvenida a esa nueva vida rodeados de todos sus amigos, entre los que estaban Zazú, Pumba y Timón. Después de hacer una marca en la frente de la joven leona, tal como manda el ritual, la alcé muy alto para que la viese todo el reino. El Ciclo sin Fin seguía su curso, y eso era justo lo que tenía que suceder.

Limping badly, Simba climbed up to the very top of Pride Rock. He let out a magnificent roar as he looked out over his kingdom.

Before long, Pride Rock flourished again. Nala remained by Simba's side, and soon they had their own newborn cub. With all their friends around, including Zazu, Pumbaa, and Timon, a new celebration of life took place. After making a mark on the forehead of the young cub, I held him up for all the kingdom to see.